Je m'excuse

Moka

Je m'excuse

Illustrations de Serge Bloch

Mouche
l'école des loisirs
11, rue de Sèvres, Paris 6e

Loi numéro 49 956 du 16 juillet 1949 sur les publications destinées à la jeunesse : septembre 1992
Dépôt légal : juin 1999
Imprimé en France par Mame à Tours

Pour Jeanne

J'aime bien le supermarché. Il y a des tas de choses à regarder. Surtout au rayon des jouets. Ce qui me plairait le plus, ce sont les Tortues Ninja comme celles de mon copain Paul. Maman ne veut pas me les acheter, elle dit que c'est horrible. C'est vraiment pas juste. Ma sœur Angélique, elle a eu son Petit Poney. ÇA, c'est hideux. En plus, il est parfumé à la noix de coco. Il pue. Je voudrais aussi des jeux vidéo. Papa dit que c'est mauvais pour les yeux et que je regarde déjà trop la télé. Avec l'argent que m'a envoyé ma mémé, je pourrai peut-être me payer Bioman…

Mais aujourd'hui, je ne traîne pas au rayon des jouets. Je fais les courses pour Maman. Ce n'est pas très drôle parce que tout est pour Bébé.

Bébé, c'est ma dernière petite sœur, Adrienne. Mais ce n'est pas un nom de son âge, alors on dit Bébé à la place. Moi, je m'appelle Bruno et j'ai neuf ans.

J'ai une liste avec tout ce qu'il faut que j'achète. Deux chemises blanches, trois paires de chaussettes, un bavoir, une grenouillère… Bébé salit beaucoup et puis elle grandit tout le temps. J'ai l'air bête avec tout ça dans les bras. Je cache la tétine dans le creux de ma main. Il ne faudrait pas qu'on croie que c'est pour moi! Je voudrais bien poser les

vêtements sur le comptoir de la caisse. Il y a une vieille dame devant moi. Je la pousse un peu, sans le faire exprès. Comme je suis poli, je dis tout bas :

– Je m'excuse, m'dame.

La vieille dame se retourne vers moi. Elle n'a pas l'air content du tout.

– Vous avez dit quelque chose, jeune homme ? Articulez, si vous voulez qu'on vous entende !

– Je... je m'excuse, m'dame.

Maintenant, je bredouille. Elle me fait peur avec ses yeux noirs qui brillent.

– Jeune homme, parlez correctement si vous voulez qu'on vous comprenne ! Dites : « Je vous prie de m'excuser, madame ! » « Je m'excuse », ce n'est pas du français, mon garçon !

J'ai pensé très fort: « Si ce n'est pas du français, c'est du quoi, hein ? Du japonais ? » Mais j'ai préféré me taire. Elle me fait de plus en plus peur avec ses bras maigres qu'elle agite. Voilà qu'elle se lance dans un grand discours sur la grammaire. Je ne pige rien. Il y a des tas de mots qui se terminent par « if ». Je ne savais pas qu'il y en avait autant. Ce qui me fait plaisir, c'est que la caissière n'y comprend rien non plus.

– Les enfants n'apprennent plus le français à l'école ! dit la vieille dame.

Elle pose violemment son tricot en solde sur le comptoir.

– Ils ne savent même pas qu'il y a des articles définis et indéfinis !

La caissière regarde le tricot en solde. Elle le prend.

– Mais madame, cet article est très bien fini ! proteste-t-elle.

La vieille dame fait les yeux ronds. La caissière s'impatiente.

– Bon alors, vous payez et vous partez, oui ? Je n'ai pas que ça à faire, moi !

La vieille dame prend une mine outrée. Mais elle ne dit rien, cette fois. La caissière n'est pas le genre à se laisser faire. C'est sûr qu'elle, elle articule. La vieille dame ouvre son porte-monnaie.

– De mon temps, les jeunes avaient plus de respect pour leurs aînés, dit-elle en payant.

– Peut-être que, de votre temps, les vieux étaient moins embêtants, répond la caissière.

J'ai envie de rire. Je me tourne pour me cacher. Enfin, la vieille dame s'en va. C'est mon tour. Heureusement, Maman m'a donné beaucoup d'argent. Ça coûte une fortune, les vêtements pour Bébé. Je pourrais m'acheter un vélo, avec cinq grenouillères! C'est mon rêve d'avoir un vélo. Mais Papa a dit: «Si tu ne travailles pas mieux, tu n'auras rien du tout pour ton anniversaire!» Je sais bien que ce n'est pas vrai mais tout de même... Si je ne fais pas d'efforts à l'école, je peux faire une croix sur le vélo.

C'est bizarre des fois comme on pense à des choses. En sortant du supermarché, je n'arrête pas de penser à la vieille dame. Elle a raison. Je marmonne tout le temps et je dois répéter mes phrases parce que personne ne m'entend. Et je parle mal, c'est sûr... Et moi, je veux être acteur à la télé, quand je serai grand. Il faut que je parle bien si je veux trouver du travail dans les feuilletons.

*
* *

À la maison, je fouille dans les affaires de Julie. Julie, c'est ma grande sœur. Elle a onze ans et elle est en sixième. Elle a un livre de grammaire. Je trouve le livre. J'ouvre au hasard: « Construction du complément circonstanciel... La subordonnée de condition. » Zut. Ça a l'air drôlement dur...

– Qu'est-ce que tu fais dans ma chambre ?

Je sursaute et je cache le livre derrière mon dos. Mais Julie m'a vu.

– Tu m'as pris quelque chose ! Rends-le-moi ! Rends-le-moi !

Elle m'arrache presque le bras. Puis elle s'arrête.

– Ma grammaire ?

Elle n'en croit pas ses yeux.

– T'es pas bien dans ta tête ! Si c'est ça que tu veux, tu peux le prendre... et même le garder !

– Je cherche un livre pour m'apprendre à bien parler. Mais celui-là... C'est trop compliqué.

Julie est chouette pour une fille. Elle a toujours des tas d'idées. Surtout pour faire des bêtises, comme dirait Maman.

– Attends... Il y a le vieux bouquin de Grand-Mère... Tu sais, celui avec les phrases.

Julie met le nez dans son armoire à secrets. C'est une armoire tout ce qu'il y a d'ordinaire, sauf qu'il y a une clé. Il y a longtemps que la serrure est cassée. Mais c'est l'armoire à secrets de Julie et on n'a pas le droit d'y toucher. Au fond, il y a une boîte en carton. C'est là où il y a les secrets.

Julie ouvre sa boîte en se cachant pour pas que je regarde. Elle sort un vieux livre tout sale. Sur la couverture, je lis «Méthode de diction» par la duchesse de Brétignant.

– Tu vas voir, c'est très rigolo, dit Julie.

Elle s'assoit par terre et commence à lire.

– «Répétez plusieurs fois de suite et de plus en plus vite. Une grande grosse grasse femme avec de grands gros gras bras blancs… Un chasseur sachant chasser doit savoir chasser sans son chien… »

– Celle-là, je la connais ! Et piano, panier, piano, panier, pino, pianier, pano, pinier, heu !

Julie se moque de moi. Mais ce n'est pas facile.

– Il y en a un autre, remarque Julie. « Pruneau cuit, pruneau cru. »

J'essaie. C'est encore pire.

– Pruneau cuit, pruneau cru, pruneau cuit, pruneau cu…

– Pruneau cu ! Pruneau cu !

Ça nous fait beaucoup rire, le coup de « pruneau cu ». On rit tellement qu'Angélique entre dans la chambre. Angélique, c'est encore une de mes sœurs. Elle a cinq ans.

– Pourquoi vous riez ? Qu'est-ce qui est marrant ? C'est quoi ce livre ?

– C'est quoi, c'est qui, c'est comment ? répond Julie. On t'en pose des questions, nous ?

– C'est ce que tu viens de faire, dis-je.

– T'es de quel côté, toi ? Du sien ou du mien ?

Ce qui m'énerve avec mes sœurs, c'est qu'il faut toujours qu'on soit avec une, contre l'autre. Quand Maman demande ce qu'on préfère comme glace, Angélique veut que je dise vanille et Julie chocolat. Ça n'intéresse personne que j'aime la pistache. Moi, je veux être de mon côté à moi tout seul. Mais il faut que je dise que je suis avec Julie. Parce que c'est elle qui a le livre. Et puis, Angélique, personne ne l'a invitée.

– Va-t'en, Angélique. On discute entre grands.

– C'est pas vrai ! Moi aussi, je suis grande ! Je vais le dire à Maman !

Je soupire. Angélique pique sa crise. Elle tape par terre avec ses talons.

Les voisins vont encore râler. La dernière fois, ils ont demandé à Maman : « Vos enfants ont tous des chaussures à clous ou alors vous avez un cheval dans l'appartement ? » On déteste les voisins. Julie et moi, on les appelle Lefuneste, comme l'horrible voisin dans Achille Talon. D'ailleurs, le mari, il a un gros nez.

Je crie pour faire plus de bruit qu'Angélique.

– Arrête ! Ça va, tu peux rester un petit peu.

Angélique s'assoit sur la moquette. Elle a son sourire satisfait.

– On joue à quoi ? demande Angélique.

– Toi, à rien du tout ! dit Julie. Tu écoutes et tu te tais !

– C'est pas juste !

Je me bouche les oreilles. Je voudrais un grand frère, s'il vous plaît !

– Taisez-vous toutes les deux ! D'abord, c'est mon jeu à moi ! Et c'est pas un jeu, c'est sérieux !

Mes deux sœurs me regardent. Ouf. Elles ont enfin fermé leurs moulins à paroles.

– Bon. Je veux apprendre à bien parler pour être acteur à la télé.

Julie me tend le livre de phrases. Elle a compris que je ne plaisante pas. J'ouvre au hasard.

– « Les chemises de l'archiduchesse sont-elles sèches, archisèches ? »

Je bafouille, je fais de la bouillie

avec tous ces «che» et ces «se». Angélique pouffe de rire dans ses mains. Julie hoche la tête.

– Si tu veux faire de la télé, tu devrais jouer dans Zorro, dit Julie.

– Ah oui? Tu crois?

– Oui... Tu pourrais faire Bernardo. Il est muet.

*
* *

Je profite de ce que Maman est occupée pour aller dans le bureau. Je prends le dictionnaire. Je vais apprendre tous les mots par cœur. Il faut avoir beaucoup de vocabulaire pour jouer dans les feuilletons. Ça commence mal: après le A, il y a

« abaca ». Il paraît que c'est un bananier qui pousse aux Philippines. Je ne sais même pas où c'est, les Philippines.

J'ai emprunté le livre de la duchesse de Brétignant. Il y a un chapitre très intéressant. Ça s'appelle : « l'art de parler ». La duchesse explique qu'il faut s'appliquer à parler convenablement, tous les jours. Enfin, je crois que c'est ce qu'elle veut dire quand elle écrit : « L'aisance oratoire demande une pratique quotidienne. Cherchez toutes les occasions de placer les mots nouvellement acquis. » Je n'en connais qu'un et il ne va pas être facile à placer. Il y a aussi des exercices pour apprendre à respirer. Mais je m'ennuie un peu tout seul.

Heureusement, il y a Bébé. Bébé

sourit tout le temps. Bébé m'appelle «Uno, Uno!» en tendant les bras pour que je la prenne. Elle dit «biscuit» et «bisou». Mais elle n'arrive pas à dire «Bruno». J'ai décidé de donner des cours de diction à Bébé.

Bébé est assise dans le fauteuil du salon. Elle a volé la télécommande de la télé, comme d'habitude. Elle me regarde quand je rentre dans la pièce.

– Uno ! Bisou !

Bébé est toujours contente de me voir. Je l'adore. Je me tape sur la poitrine.

– Bruno ! Dis Bbrruunnoo !

Bébé se tape sur le ventre, pour faire comme moi.

– Bébé ! Uno, bisou !

Je l'embrasse. J'aime embrasser Bébé, elle a la peau douce et parfumée.

– Donne la télécommande, Bébé.

Bébé m'obéit avec le sourire. Elle comprend tout. C'est la plus intelligente de mes sœurs. Et la plus jolie, avec ses cheveux dorés et ses yeux bleus.

– Il faut faire un peu de gymnastique, Bébé. C'est pour que tu respires bien.

Je couche Bébé sur le dos. Je lui fais faire du « vélo » avec les jambes.

Bébé éclate de rire. Après, je lui prends les mains et je la redresse. Une deux, une deux. Bébé rit. Elle est très douée.

– Biscuit !

– Pas maintenant. Écoute, Bébé. Un chasseur sachant chasser doit savoir chasser sans son chien ! Répète !

– Chien !

Elle est formidable.

– Piano, panier. À toi.

– Ouah, ouah ! dit Bébé.

– D'accord, le chien, ouah, ouah… Dis Bruno !

– Caca, dit Bébé.

Elle a raison. Il y a une drôle d'odeur. Je vais chercher Maman pour qu'elle change Bébé.

C'est lundi matin. Devant l'école je retrouve mes copains, Fabien et Paul.

– Jourbon, dit Fabien.

Fabien parle souvent à l'envers. Moi, ça ne m'amuse plus.

– Je vous souhaite le bonjour. Comment allez-vous, ce matin ? Il fait frais pour la saison. Trop froid pour les abacas.

Fabien me regarde. Paul hausse les épaules.

– Qu'est-ce qui te prend ? demande Paul.

– Qu'y a-t-il ? dis-je. Vous n'avez jamais entendu quelqu'un qui parle bien ?

– Quel frimeur ! dit Fabien.

Ils me tournent le dos. Ce ne sont plus mes copains. Ça m'est égal.

Ce matin, la maîtresse nous donne une dictée. Je m'applique. Je veux être le meilleur. La maîtresse nous observe l'un après l'autre. Je baisse les yeux. Je ne veux pas être appelé au tableau.

– Sébastien, dit la maîtresse. Je m'excuse, Fabien !

Elle confond toujours Sébastien avec Fabien. Je ne sais pas ce qui me passe par la tête. Je dis :

– Il faut dire : «Je vous prie de

m'excuser». «Je m'excuse», ce n'est pas du français.

Toute la classe se met à ricaner. La maîtresse n'en revient pas. J'ai les joues en feu.

– Eh bien, Bruno, puisque tu es si bon, viens donc faire la dictée au tableau !

Je me lève. J'ai les genoux qui tremblent. Je fais quatre fautes à la dictée. J'ai les oreilles qui sifflent, je n'entends plus rien. La maîtresse écrit « zéro de conduite » dans mon carnet.

C'est l'heure de la récréation. Je voudrais rester dans la classe. Mais je suis obligé d'aller dans la cour.

– Et alors, « je m'excuse », t'as plus l'air aussi malin !

J'essaie d'attraper Paul. Mais il s'enfuit. Il crie :

– Je m'excuse ! Je m'excuse ! Tu ne m'auras pas, « je m'excuse » !

Ils s'y mettent tous, à m'appeler «je m'excuse». Je ne peux pas courir après tout le monde. Même Fabien vient me pousser dans le dos.

– Quatre fautes à la dictée, «je m'excuse»!

Je vais m'asseoir contre un mur. Je boude. Je ne regarde plus personne. Ils viennent m'embêter. Mais je ne bouge pas. Je serre les dents. J'ai envie de hurler: «Tarte à gueule à la sortie!» Mais ce n'est pas du français.

*
* *

Je rentre à la maison en traînant les pieds. Tout seul. Dans mon cartable, il y a mon carnet avec un mot de la maîtresse. Il faut que Papa le signe. Ça va mal.

Dans l'escalier, je croise le voisin. Celui avec un gros nez. Il descend sa poubelle. Il me regarde avec ses yeux vides.

– Et alors, petit mal élevé, on ne dit pas bonjour ?

– Je vous prie de m'excuser, dis-je. Cher monsieur et voisin. J'étais préoccupé par l'absence des abacas dans nos régions. Et comment allez-vous en ce bel après-midi ?

– Mais il se moque de moi ! s'écrie le voisin. Ça ne peut plus durer ! Je m'en vais m'expliquer avec vos parents !

Il remonte avec sa poubelle. Il

sonne à MA porte ! C'est Maman qui ouvre. Elle est surprise de le voir.

– Vous vous trompez d'étage, dit

Maman. Les poubelles sont au rez-de-chaussée !

– Madame, vos enfants sont des galopins ! Ils font du bruit sans arrêt et ils sont insolents !

Maman me regarde. Elle a l'air ennuyé.

– Mes enfants ne sont pas insolents, d'habitude, répond Maman.

– Votre garçon m'a demandé comment j'allais en ce bel après-midi et il m'a appelé « cher monsieur et voisin » !

– En effet, dit Maman. Ça me paraît grave !

Le voisin se gratte son gros nez.

– Que cela ne se reproduise plus !

– Très bien, dit Maman. Mes

enfants ne prendront plus de vos nouvelles et ne vous souhaiteront plus le bonjour.

– Parfait ! dit le voisin.

Et il redescend avec sa poubelle. Maman et moi, ça nous fait bien rire.

*
* *

Je ne ris plus. Papa vient de lire mon carnet.

– Tu as manqué de respect à ta maîtresse ? demande-t-il.

– Mais elle a fait une faute de français ! dis-je.

– À propos de fautes... Quatre à ta dictée ! Si tu ne fais pas quelques efforts, tu auras ton vélo dans cinquante ans !

Ce n'est vraiment pas juste. Je n'y suis pour rien si la maîtresse est idiote. Je suis sûr qu'elle ne sait pas ce que c'est qu'un abaca. Je voudrais expliquer à Papa que tout ça, c'est à cause de la vieille dame du supermarché.

Mais Papa est fâché. Je sais bien que c'est inutile de discuter. Je devrais laisser tomber la méthode de diction et la duchesse de Brétignant. Je ne serai jamais acteur, si ça continue.

– Tu as intérêt à te faire oublier quelque temps, gronde Papa.

Je vais dans la chambre de Julie. Elle finit ses devoirs. Je m'allonge sur son lit.

– Va-t'en ! dit Julie. Je suis occupée !

– Je ne te dérange pas !

– Si ! C'est ma chambre, ici ! Et puis, d'abord, je veux que tu me rendes mon livre de phrases !

Quand Julie est comme ça, c'est insupportable. Je crie :

– Ce n'est pas le tien ! C'est celui de Grand-Mère !

– Elle me l'a donné !

– Menteuse ! Tu le lui as volé !

Julie se lève et vient se bagarrer avec moi.

– Je ne suis pas une menteuse !

– Si, tu l'es !

Maman passe la tête par la porte.

– Bruno, sors de là, dit-elle. Et laisse ta sœur travailler !

Je veux m'enfermer dans les cabinets. Mais Angélique y est déjà. Je cherche Bébé. Elle est devant la télé, avec la télécommande. La télé est toute déréglée.

Je m'assois par terre pour être à sa hauteur.

– Allez, Bébé, dis Bruno !

Bébé lève les bras au ciel.

– Champion ! crie-t-elle.

Puis elle me fait les marionnettes. Elle m'envoie des bisous. Elle fait « coucou » avec le coussin. Elle met son doigt sur son nez et dit « nez » et « ouah, ouah ». Mais elle ne dit pas Bruno.

Bébé joue avec la télécommande. Elle n'a pas le droit. Je la lui prends. Bébé se met à hurler. Maman arrive en courant. Elle court toujours quand Bébé pleure. Elle a peur que Bébé se soit cognée. Maman fait les gros yeux.

– Bruno ! Au lieu d'embêter ta petite sœur, va acheter du pain !

Je n'ai pas envie d'aller à la boulangerie. J'enfile ma vieille veste, celle que je préfère. Maman m'arrête dans le couloir.

– Tu ne vas pas mettre cette horreur ? demande-t-elle. Prends ton joli duffel-coat neuf.

Je déteste les vêtements neufs. Surtout celui-là. Il a encore l'odeur du grand magasin.

*
* *

En revenant de la boulangerie, je répète une scène de Zorro. J'ai vu l'épisode, la semaine dernière. Zorro est sur le toit de la garnison et il saute sur son cheval. Il s'enfuit et tous les soldats restent cloués sur place comme des imbéciles. La baguette me sert d'épée. Zorro est drôlement fort avec une épée. Moi aussi. Je fais très bien Zorro.

Il y a quelqu'un qui m'appelle dans la rue. Je me retourne. C'est Sébastien.

– Et alors, «je m'excuse», on fait les commissions?

Je deviens tout rouge. Mais cette fois, ce n'est pas de honte. C'est de colère. Sébastien, il va payer pour tous les autres ! Je me jette sur lui. Je lui donne un grand coup de poing.

Paf ! Il me repousse. Mais j'ai le dessus.

– Aïe, aïe, aïe ! gémit-il. Tu me fais mal !

– Tu ne diras plus jamais «je m'excuse» devant moi!

– Non, non, promis!

Je me relève. Mon manteau a perdu un bouton. Et il y a un grand trou dans la doublure. Tant mieux. Maintenant, il est vraiment à moi. C'est ma cape de Zorro.

Le pain a roulé dans le caniveau. Il est tout mouillé. Je n'ai plus d'argent. Je regarde Sébastien. Je sais qu'il a toujours des pièces dans ses poches.

– J'ai besoin de cinq francs, dis-je. Il faut que j'achète un autre pain. Je te les rendrai demain.

Sébastien veut bien me les prêter. Il m'accompagne à la boulangerie.

Sur le chemin, on joue à Zorro. Sébastien fait Bernardo et le cheval. Moi, je fais Zorro et le sergent Garcia. J'ai inventé un nouvel épisode. Le méchant de l'histoire a volé un abaca précieux qui vaut très cher. Sébastien n'a pas demandé ce que c'était. Il a juste dit qu'il y avait des diamants dessus. On est devenus super copains.

* * *

Au dîner, il y a des côtelettes de porc et des épinards. Le lundi, il n'y a que le charcutier et le boulanger qui travaillent, dans ma rue. Ça serait amusant si on faisait un repas avec des gâteaux, des nounours en chocolat et des sucettes au Coca.

Bébé a de la chance. Elle a du jambon et de la purée. Elle plonge sa cuillère dans l'assiette et ça fait «plouc» à chaque fois. Elle a de la purée jusque dans les cheveux.

Papa est au téléphone. Maman dit qu'il est toujours au téléphone quand les plats sont chauds.

– File-moi le fromage, dit Angélique.

Angélique parle très mal. Je lui explique :

– Il faut dire : «S'il te plaît, veux-tu être assez aimable pour me passer le plateau de fromages ?»

Angélique a sa tête de pleurni-

cheuse. Je sens qu'elle va me faire des ennuis.

– Maman ! Maman, Bruno, il ne veut pas me donner ma Vache-qui-rit !

Maman revient avec le petit pot pomme-banane pour Bébé. Elle est fâchée.

– Je ne sais pas ce que tu as aujourd'hui, Bruno, dit Maman. Mais je voudrais que tu cesses de martyriser tes sœurs !

Angélique a son sourire satisfait.

Julie me fait des grimaces en douce.

Je déteste le monde entier, la duchesse de Brétignant, les abacas et les Martiens aussi !

Bébé me regarde. Elle m'envoie des baisers pleins de purée. Mais j'ai la gorge serrée. J'ai envie de pleurer et moi, c'est pour de vrai.

– Bruno, dit Bébé. Bisou, Bruno !

Bébé, je t'aime !

Du même auteur à *l'école des loisirs*

Dans la collection *Mouche*

Ah, la famille!
La lanterne bleue
Ma vengeance sera terrible
Ma vie de star
Mon loup
Thomas Face-de-Rat et Amélie Mélasse
Trois pommes